La ofrenda de Sofía

Theresa Marrama

Interior art by Avoltha

Book cover graphics by bookcover_pro

ISBN: 978-1-7339578-2-3

ISBN-13: 978-1-7339578-2-3

DEDICATION

To Bonnie Chichester, my colleague and my friend. Thank you for all your support, feedback and most importantly your wonderful advice!

El regalo más grande de la vida es la amistad, y yo lo he recibido.

ÍNDICE

ACKNOWLEDGMENTS

Special thanks to Anny Ewing, Jennifer Degenhardt, John Sifert, Bonnie Chichester, Ana Sequeira and Melynda Atkins for reading my book and providing awesome feedback!

PRÓLOGO

Ella está en el cementerio. Es el fin de semana y todas las personas celebran el Día de Muertos. Ella puede ver la tumba de su abuelo. Hay muchas decoraciones en las otras tumbas, pero no hay decoraciones en la tumba de su abuelo. No hay flores en su tumba. No hay nada. En sus manos tiene una foto de ella con su abuelo. Esta foto es la única posesión que tiene de su abuelo. Su abuelo murió el año pasado, el 28 de noviembre. Él era un jugador de béisbol muy famoso.

En ese momento, hay una forma en la distancia. Es una persona. Es una muchacha. No sabe quién es. La muchacha en la distancia la observa intensamente. Ella no le presta atención. Ella está triste y llora en frente de la tumba. Ella extraña mucho a su abuelo. Nadie en la familia visita su tumba, porque cuando su abuelo murió hubo una disputa por sus posesiones de béisbol y su dinero. Ahora es la única persona que visita su tumba.

Su abuelo se llamaba Luis Ortega y ella se llama Camila Ortega...

LA FAMILIA DE SOFIA

CAPÍTULO UNO

–Antonio, dame la pelota! ¡Es mía! –grita Sofía.

Su hermano no escucha a Sofía. Antonio tiene la pelota y la lanza en el aire.

Es viernes, el 30 de octubre, Sofía Martín tiene la misma rutina cada mañana. Ella se levanta y toca la pelota de béisbol que su abuelo le dió. Su abuelo le dió la pelota de béisbol para su cumpleaños el año pasado; una ocasión muy especial. La pelota ahora es una de sus posesiones más especiales desde que su abuelo murió el año pasado.

Esta mañana, la pelota no está al lado de su cama cuando se levanta. Inmediatamente, ella sabe que Antonio, su hermano, tiene su pelota y ella va en la sala.

—¡Antonio! ¡Dame la pelota ahora! ¡Es la pelota de béisbol que el abuelo me dió! —repite Sofía.

Antonio mira a Sofía. Él tiene una sonrisa. Antonio lanza la pelota en el aire. Está contento porque sabe que es la posesión favorita de su hermana. Es la pelota del abuelo. Sofía está furiosa.

Ella grita: —¡Antonio! ¡Dame la pelota ahora!

Antonio no escucha a su hermana. Antonio nunca escucha a su hermana. Es normal para él. Antonio es el hermano mayor de Sofía, y tiene ojos cafés como su padre. Es grande y atlético como su padre. Sofía tiene los ojos de color diferente. Tiene los ojos verdes. Sofía es la única persona en la familia que tiene los ojos verdes.

—Tú sabes que la pelota es una de mis posesiones más especiales. Es muy importante para mí —explica Sofía.

—Sofía —dice Antonio—, es solamente una pelota. No comprendo cual es tu problema.

—¡Es la pelota que el abuelo me dio! ¡Es mía! ¡Dámela ahora, Antonio! —grita Sofía.

En ese momento, la mamá de Sofía entra en la sala. Ella mira a Sofía y Antonio. Sabe que hay un problema. Es normal. A Antonio le gusta irritar a su hermana. No está contenta y dice:

—¿Qué pasa?

Sofía mira a Antonio. Ella está irritada y grita:

—¡Antonio tiene mi pelota mamá! Sabes que es una de mis posesiones más especiales —explica Sofía.

Su mamá mira a Antonio y le pregunta:

—Antonio, ¿por qué tienes la pelota? ¿Por qué te gusta irritar a tu hermana? Es obvio que tu hermana está irritada.

Antonio no le responde. Sofía mira a su hermano con ojos intensos y una expresión irritada y furiosa. De repente, ella empuja a su hermano con toda su energía.

En ese momento su padre entra en la sala. Es muy estricto. Él es más estricto que su madre. El padre de Sofía la mira muy irritado.

—¡Sofía! —grita su padre—. Tú sabes perfectamente bien que la regla de la familia es tratarnos unos a otros con respeto. Empujar a tu hermano no es respetuoso. Si tú no sigues esta regla de la familia, no puedes usar tu teléfono. No puedes salir, excepto para ir a la escuela. No puedes tener tu tableta. No puedes hacer nada.

—¡Pero papá, Antonio tiene mi pelota! —grita Sofía.

—¡Vete a tu dormitorio ahora! ¡Vete y considera las reglas de la familia y como nos tratamos unos a otros en esta familia! —responde su padre muy irritado.

En ese momento su hermano le dice: —¡Sofía!

Sofía mira a Antonio y él lanza la pelota en aire hacia ella. Sofía no puede atraparla. No es atlética. Ella está furiosa, pero no dice nada. Ella agarra la pelota y entra en su dormitorio. Piensa que las personas en su familia no la comprenden. Su padre no la comprende, ni su madre. Su hermano no la comprende. Su abuelo, él la comprendía muy bien. Sofía extraña mucho a su abuelo.

MEMORIAS

CAPÍTULO DOS

–Sofía, ¿estás bien? Yo sé que estás triste...

La madre de Sofía interrumpe el silencio cuando entra a su dormitorio. Sofía está en la cama. Ella está sintiendo muchas emociones. Se siente irritada con su hermano por lanzar la pelota. Se siente frustrada con su padre por no comprender la situación. Se siente aburrida porque no tiene su tableta ahora, y su mamá tiene razón, se siente triste porque extraña mucho a su abuelo.

Su mamá ve que Sofía no responde y continúa:

–Mija, voy a ir al mercado después. Tengo que comprar unas cosas para los días festivos, ¿me quieres acompañar?

¿Los días festivos? ¡Ah! Es casi el 2 de noviembre.

El Día de Muertos era la celebración favorita de su abuelo. Cuando la familia de Sofía vivía en los Estados Unidos, su mamá volvía a México cada año para celebrar el Día de Muertos con su padre.

Pero Sofía no la acompañaba. Prefería estar en los Estados Unidos para celebrar

Halloween con sus amigos, entonces se quedaba en Colorado con su papá y sus hermanos.

Pero ahora viven en México. Primero vino su mamá, para cuidar al abuelo cuando no estaba bien. Y luego, cuando el abuelo se murió, toda la familia se mudó a México. Fue la celebración favorita de su abuelo. Sofía mira la foto de su abuelo que está al lado de su cama. En la foto él está contento. Su abuelo siempre estaba contento.

Sofía mira la foto tristemente y piensa en su abuelo. Ella quiere escuchar sus historias viejas de Oaxaca. Quiere escuchar las historias de la familia, pero ahora no puede.

Su mamá ve que no responde y le dice a Sofía:

–Vamos, Sofía. Vamos al mercado después para comprar las cosas necesarias para la ofrenda. Es importante para nuestra familia en el Día de Muertos.

Sofía piensa por un momento. El Día de Muertos. Para muchas personas en México, el Día de Muertos es una celebración importante el primero y el dos de noviembre. La celebración es muy popular para muchas personas mexicanas, pero a Sofía no le interesa. Ella prefiere jugar en su tableta y hablar con sus amigas en los Estados Unidos por WhatsApp de sus ideas para Halloween.

Sofía le responde a su mamá:

—¿Por qué no invitas a uno de mis hermanos? No me interesa el Día de Muertos. Los muertos no tienen importancia. ¡Los muertos solo abandonan a sus familias!

Sofía puede ver que sus palabras afectan a su mamá.

Sofía continúa mirando la foto de su abuelo cuando ve algo por la ventana. Por la ventana ella puede ver la casa de la señora Garza. La señora Garza lleva muchas flores anaranjadas.

Sofía mira por la ventana y piensa: *«Ella celebra el Día de Muertos porque su esposo murió».* Pero Sofía no comprende la celebración. Para ella es una pérdida de tiempo. Es como el Ratoncito Pérez* o el Chupacabras.*

Sofía mira a su mamá otra vez, pero su mamá continúa:

—Yo quiero que tú me acompañes. Tu abuelo y yo siempre preparábamos las decoraciones para el Día de Muertos. Ahora que él no está, quiero que tú me acompañes al mercado. Pienso que puede ser algo especial para nosotras. ¿Qué piensas?

Ella mira la foto de su abuelo y le responde a su mamá:

—No me interesa.

Pero su mamá, inteligente, le responde:

—Si me acompañas al mercado y me ayudas en estos días, puedo hablar con tu papá. Es posible que puedas tener tu tableta después.

Sofía mira a su mamá otra vez, pero no le responde.

UN DÍA ABBURIDO

CAPÍTULO TRES

–Mamá, yo voy a jugar al básquetbol... –grita Antonio.

Más tarde ese mismo día, todo es normal excepto por Sofía, quien está aburrida. No tiene su tableta. Antonio no está aburrido porque juega al básquetbol y su madre cocina en la cocina. Su madre es cocinera en un restaurante. Su padre está en el garaje con su carro deportivo, «su bebé».

Sofía piensa: *«Todos están muy ocupados en la casa. Puedo mirar Netelix»*. Sofía entra a la sala en secreto y mira Netelix. Le gusta mirar Netelix. Su programa favorito se llama "Vampire Diaries".

De repente su padre entra en la sala. Él la mira con sus ojos serios y dice:

—Sofía, sabes que no puedes mirar Netelix. No puedes hacer nada después de tus acciones de ayer.

Sofía mira a su padre con ojos tristes y le dice:

—Papá, Antonio puede jugar hoy después de sus acciones de ayer, ¿pero yo no puedo mirar la televisión? —pregunta Sofía.

—Sofía, no puedes mirar la televisión— repite su papá—. Es el fin de la discusión. Vete a tu dormitorio ahora.

Sofía va a su dormitorio. Después su madre entra y le pregunta:

—Sofía, ¿vas a ir conmigo al mercado?

—¡Ay! Mamá, ¿por qué me invitas a ir contigo? —le pregunta Sofía más irritada de lo normal.

En ese momento su padre entra a su dormitorio y dice:

—Sofía, vete con tu mamá. Ella necesita tu ayuda.

Sofía no dice nada. Finalmente, su madre va a la cocina y su padre va al garaje. Sofía mira la foto de su abuelo al lado de su cama. Mira la foto y piensa en cuánto quiere hablar con su abuelo. No quiere celebrar el Día de Muertos.

Ella piensa hacer algo para pasar el tiempo sin su tableta. ¡Su cámara! Va hacia su clóset. Ella abre la puerta de su clóset y busca su cámara. Agarra la foto de su abuelo y su posesión más especial, la pelota de béisbol. Saca una foto de la foto del abuelo y la pelota para Instagram. Comprende que no puede postear su foto en Instagram, pero ahora tiene algo que hacer.

Después de pasar dos horas en su dormitorio, Sofía está más aburrida de lo normal. Sofía piensa en ir al mercado con su mamá. Realmente, no quiere ir, pero tampoco quiere pasar más tiempo en su dormitorio.

Finalmente, ella abre la puerta de su dormitorio y va a la cocina. Su mamá cocina. Sofía mira a su mamá y le dice:

—No quiero ir al mercado, pero no tengo nada que hacer... estoy aburrida. No puedo usar mi tableta ni mirar Netelix. No me interesa nada celebrar el Día de Muertos, pero no tengo nada que hacer.

Su madre la mira y le dice: —Nos vamos en una hora.

UNA SORPRESA CON LAGRIMÁS

CAPÍTULO CUATRO

A las cuatro de la tarde su madre entra al dormitorio y le dice:

–Sofía, necesitamos ir al Mercado de Abastos ahora. Tenemos que comprar todo para decorar la ofrenda. Es importante comprar los ingredientes para preparar el pan de muerto* también.

Sofía no está muy contenta. Sofía se pregunta: *«¿Por qué mi madre no invita a mi hermano? Antonio no necesita ayudar con nada»*. Sofía agarra su cámara. Está muy frustrada porque no se puede comunicar con sus amigos. A ella no le gusta vivir sin su tableta ni su celular. Sofía camina a la cocina donde su madre se prepara para salir al mercado.

Sofía mira a su madre con su cámara en las manos y dice con sarcasmo:

—¿Puedo llevar mi cámara o tampoco es posible?

—Sí, por supuesto que puedes llevar tu cámara, Sofía —responde su mamá.

Sofía va al carro. En el carro, Sofía mira por la ventana. No habla con su mamá. Piensa mucho sobre el Día de Muertos y en su abuelo.

Su madre mira a Sofía y pregunta:

—¿Sabes cuál es la tradición más importante del Día de Muertos?

Sofía mira a su mamá, pero no le responde. Su mamá continúa:

—La ofrenda es la tradición más importante del Día de Muertos. En una ofrenda, la familia pone muchas cosas importantes. Pone las fotos del difunto*, pone las flores y pone la comida favorita del difunto. También los artículos y objetos favoritos del difunto son muy importantes. Todas las cosas de la ofrenda ayudan a la familia a recordar al querido difunto. ¿Sabes cuál era la comida favorita de tu abuelo, Sofía? —le pregunta su madre.

Sofía piensa por un momento. No sabe cuál era la comida favorita de su abuelo. Ella sabe que a él le gustaba mucho el béisbol.

—¡No! No sé su comida favorita... Y no quiero decorar la ofrenda. Quiero honrar a mi abuelo en mi dormitorio a solas —le dice Sofía. La madre de Sofía no le responde. No dice nada.

Finalmente, Sofía y su madre llegan al mercado. Su madre entra al mercado. Sofía observa todo en el mercado. Ve a mucha gente, muchas colores y muchos vendedores que venden muchas decoraciones.

Su madre busca los objetos necesarios para decorar la ofrenda. Hay muchas cosas en el mercado. Hay muchas cosas para decorar la ofrenda. Sofía mira a su madre. En ese momento comprende que ella está triste. Sofía ve que ella tiene lágrimas en sus ojos. Sofía piensa: «*¿Mi mamá está triste? ¿Está triste por el abuelo?*». Sofía pensaba que ella era la única persona que lo extrañaba.

—Mamá, ¿por qué estás triste? —pregunta Sofía.

Su madre toca las decoraciones y le responde: —Si tu abuelo estuviera aquí sabría que comprar.

En ese momento su madre comienza a llorar un poco. Sofía está muy afectada, porque esta es la primera vez que ve a su madre llorar. Sofía comprende que su madre llora porque extraña a su padre.

Sofía no le dice nada a su mamá. Continúa caminando en silencio y, unos minutos después, su mamá compra las flores, las velas y el papel picado.

En el carro, Sofía mira por la ventana en silencio. Su mamá no le dice nada. Sofía piensa en la tristeza y las lágrimas de su mamá en el mercado.

Cuando Sofía y su mamá llegan a la casa, Sofía ayuda a llevar todas las cosas del mercado a la cocina. Ella saca una foto de todos objetos del mercado. Quiere postear su foto en Instagram porque todas sus amigas postean fotos, pero no tiene su tableta ni su teléfono móvil...

—Gracias por ayudarme en el mercado hoy —dice su mamá.

—Mamá, ¿puedo tener mi tableta ahora? ¿Por favor? —pregunta Sofía.

Sofía no ve a su papá, quien entra en la cocina en ese momento. Él escucha su pregunta y le responde:

—No puedes tener tu tableta, Sofía. No esta noche. No sé cuando.

Sofía no le responde y va a su dormitorio.

LA OFRENDA

CAPÍTULO CINCO

A las siete de la mañana Sofía se levanta y como siempre toca la pelota que el abuelo le dio. En ese momento hay un ruido. Hay un ruido en la sala. Sofía recuerda que hoy es sábado, el 31 de octubre, el día en que van a decorar la ofrenda.

—¡Sofía! ¡Ven a la sala, por favor! —grita su mamá.

No hay nadie en casa excepto Sofía y su mamá. Su papá necesita trabajar y su hermano está en un partido de básquetbol. Sofía y su madre van a decorar la ofrenda juntas. Sofía todavía no sabe si realmente quiere ayudar a su mamá y no se siente muy contenta. Se siente un poco nerviosa.

Sofía entra a la sala y su mamá le dice:

—Buenos días, Sofía, ¿puedes ayudarme a limpiar? Tenemos que limpiar para decorar la ofrenda.

—Buenas días, mamá —responde Sofía.

Su madre continúa limpiando sin decirle nada a Sofía.

—¿Necesito limpiar? No me gusta limpiar —dice Sofía.

Sofía no comprende la tradición de la ofrenda. En Estados Unidos, no celebran el Dia de Muertos. Es el primer año que Sofía celebra el Dia de Muertos. Ella mira a su mamá poner la ofrenda enfrente de una ventana. Ella pone el papel picado sobre la ofrenda.

—No comprendo la importancia de decorar las ofrendas. No comprendo por qué una familia decora para los muertos —le dice Sofía muy irritada.

Su madre le responde:

—Las personas creen que los muertos regresan a la casa. La idea es que los espíritus puedan regresar y disfrutar de las cosas que les gustaban cuando estaban vivos.

Sofía mira a su mamá, pero no le responde. Ve una caja en el piso con muchas cosas adentro.

—Hay muchas cosas dentro de esta caja. ¿Son cosas tuyas? —pregunta Sofía.

—No. Hay muchos objetos de tu abuelo en la caja —responde su mamá.

Sofía no le responde. Ella mira todas las cosas. Ve unas fotos viejas, una carta de su abuelo para su abuela y una guitarra. En silencio, mira las fotos viejas y piensa en su abuelo. Tiene muchos buenos recuerdos con su abuelo. En ese momento Sofía está contenta.

–Hay calacas dentro de la caja, Sofía. Dame las calacas, por favor–dice su mamá.

Sofía mira en la caja. Ve unos esqueletos en la caja y ve dos calacas.

–Mamá –dice Sofía con las calacas en la mano–, ¿por qué hay una calaca de un jugador de béisbol?

Su mamá responde:

–Como sabes, a tu abuelo le gustaba mirar el béisbol. Su jugador favorito se llamaba Luis Ortega. Luis Ortega era jugador de béisbol en Oaxaca, México. Él jugaba al béisbol en la Liga Mexicana y a tu abuelo le gustaba ir a todos sus partidos. Un día tu abuelo lo vio en el mercado y Luis Ortega firmó una pelota de béisbol que tenía tu abuelo.

—¿Dónde está esa pelota de béisbol ahora? —pregunta Sofía.

—Tú la tienes —responde su mamá.

Sofía mira a su mamá con una expresión confusa. Los ojos de Sofía se abren mucho porque está sorprendida. También está muy emocionada. En ese momento ella se levanta y corre a su dormitorio. Un minuto después ella llega con la pelota en sus manos.

—¿Esta pelota?

—Sí, esta pelota.

Sofía sonríe y continúa a buscar en la caja. Ve un papel con su nombre escrito en el frente. Su mamá ve que Sofía mira la carta en la caja. Su mamá la agarra y se la da. Lentamente, Sofía abre la carta. Sofía abre sus ojos con sorpresa. Es una carta de su abuelo. Lee la carta y se siente muy contenta. La carta explica lo importante que era Sofía para su abuelo. En ese momento, Sofía tiene lágrimas en sus ojos. No sabía que su abuelo había escrito una carta para ella.

Durante tres horas, Sofía y su madre decoran la ofrenda con los objetos favoritos de su abuelo.

—¿Quieres poner los cempasúchiles en la ofrenda? —pregunta su mamá. Sofía mira las flores del color anaranjado brillante. Su madre continúa—: las flores cempasúchiles son muy representativos del Día de Muertos.

Sofía pone la calaca de jugador de béisbol y los cempasúchiles en la ofrenda. Finalmente, su mamá pone el pan de muerto en la ofrenda. Su madre cocina el pan de muerto cada año para su restaurante durante el Día de Muertos pero este es el primer año que lo cocina para la ofrenda. En México, es un pan tradicional del Día de Muertos.

En ese momento, su mamá mira a Sofía y le dice: —Sofía, ahora tú puedes poner la pelota en la ofrenda.

Sofía no responde, entonces su madre le dice: –Sofía, ¿en qué piensas? La pelota era muy importante para tu abuelo.

Ella no quiere poner su pelota en la ofrenda. Sofía piensa: «*Poner la pelota en la ofrenda es como separarme de mi abuelo. No puedo hacerlo. ¡¡Es MI pelota, mi abuelo me la dio a mí!*».

Sofía dice muy seria: –¡No, mamá! ¡No quiero poner mi pelota en la ofrenda! ¡No puedo! ¡Tú no comprendes!

Sofía se siente muy triste en ese momento. Con su carta y la pelota de su abuelo en las manos, ella corre rápidamente a su dormitorio.

HAY UN ESPIRÍTU EN LA CASA

CAPÍTULO SEIS

Una hora más tarde, Sofía está en su dormitorio. Su mamá está en la cocina para preparar el mole negro. El mole negro era la comida favorita de su abuelo.

Sofía va en la sala porque quiere poner algo importante en la ofrenda en memoria de su abuelo. Ella camina hacia la ofrenda cuando ve algo. No es posible... Ve a... su abuelo... enfrente de la televisión, y él lanza una pelota en al aire. Sofía mira otra vez. ¿Es su imaginación? No, es verdad, Sofía ve a su abuelo. Él está contento y sonríe. En un momento, su abuelo camina hacia la puerta. Su abuelo mira a Sofía una vez más, casi para decirle adiós. ¿Cómo es posible que vea a mi abuelo? Está muerto.

Sofía no sabe qué hacer. Ella grita: –¡Mamá! ¡Mamá!

Su madre viene rápidamente a la sala y la mira con sus ojos serios y dice con impaciencia: –¿Qué pasa, Sofía?

–¡Mamá! El abuelo estaba en la sala –le grita Sofía.

–¿El abuelo? No comprendo, Sofía –le responde su mamá.

–El abuelo estaba en la sala, ¡yo lo vi! –explica Sofía.

–Hija, cálmate. Pienso que decorar la ofrenda afectó mucho tus emociones.

Sofía la mira con sus ojos serios y dice:
–Mamá, estoy segura. Vi al abuelo. Estaba en la sala. Lanzaba una pelota en al aire.

Su madre se sienta en el sofá con Sofía y dice:

–Es posible, Sofía. Los espíritus pueden visitar las casas durante el Día de Muertos.

Sofía escucha a su mamá y la mira con sus ojos serios. Sofía no comprende nada sobre los espíritus. Se pregunta: *«¿Es posible?, ¿es verdad?, ¿es el espíritu de mi abuelo?»*.

Ahora, Sofía está muy curiosa, más curiosa después de su experiencia extraña con el espíritu de su abuelo.

Ella va a su dormitorio. Ella recoge la carta de su abuelo. Sofía piensa en las cosas y en la comida que a él le gustaba. *«¿Es posible que el abuelo quiera visitarme?»*, piensa Sofía.

Sofía siente muchas emociones. Se siente contenta porque vio a su abuelo, pero se siente triste también. Va a la sala y mira a su mamá cerca de la ofrenda. Sofía camina a la ofrenda. Ella mira a su mamá y en ese momento Sofía pone su carta en la ofrenda, cerca de la foto de su abuelo.

Sofía dice con lágrimas en los ojos: –Mamá, extraño al abuelo mucho. Quiero hablar con él... –y Sofía empieza a llorar.

Su mamá ve su tristeza. –Ay mija –dice su mamá con mucha emoción–, yo lo extraño mucho también.

Su mamá abraza a Sofía y las dos miran la ofrenda en silencio.

SU COMIDA FAVORITA

CAPÍTULO SIETE

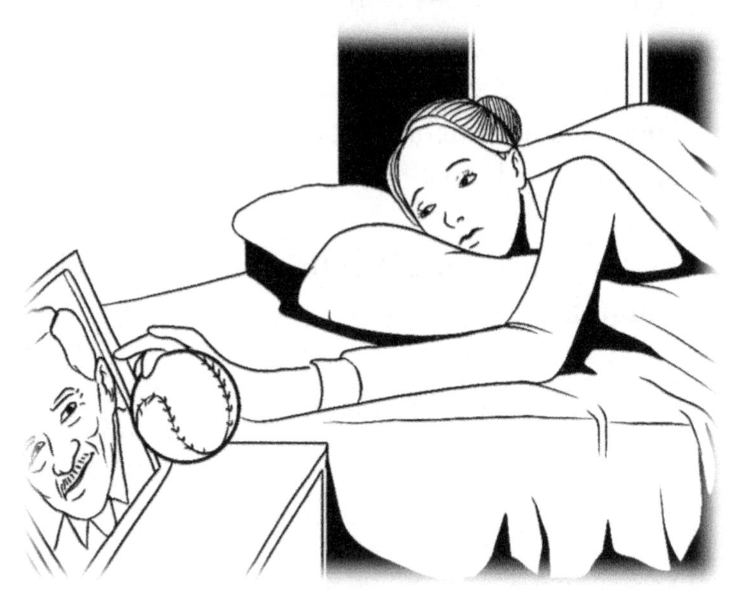

Es domingo el primero de noviembre. A las seis de la mañana Sofía se despierta. Sofía toca la pelota que el abuelo le dio y piensa también en su abuelo y sonríe. De repente, ella corre a la cocina. En la cocina, su madre prepara su comida favorita, como todos los domingos.

—Buenos días, hija. Estoy preparando tu comida favorita, ¡los huevos rancheros! —dice su mamá.

Sofía tiene mucha hambre. Quiere comer muchos huevos rancheros, porque ella no comió mucho ayer después de sus experiencias en la sala.

Ella come y su madre le dice:

–Sofía, yo quiero ir a la tumba del abuelo. Quiero ir al cementerio y decorar la tumba del abuelo.

Sofía no le responde. Piensa un minuto en silencio. Por un minuto, Sofía ve que su madre está muy triste. Sofía piensa en la tumba. Piensa en su abuelo, a quien extraña mucho. Sofía quiere ir a la tumba del abuelo.

Finalmente, su madre le responde:

–Sofía, está bien si tú no quieres ir a la tumba. Tu papá dice que puedes mirar Netelix en la sala o hablar con tus amigos en la tableta.

Sofía no le responde. Piensa en silencio y come sus huevos rancheros.

A las dos de la tarde, su madre entra al dormitorio y le dice:

–Sofía voy a ir al cementerio ahora.

Sofía toca la pelota del abuelo por un minuto. Ella no quiere llevar la pelota al cementerio porque no quiere perderla. Ella agarra su cámara y sale de su dormitorio.

Sofía le responde: –Quiero ir a la tumba contigo mamá. No quiero que tú vayas sola.

Su mamá la mira con una sonrisa y dice: –Está bien.

Sofía va al carro y su mamá lleva una foto de su abuelo y el mole negro en sus manos. Sofía le pregunta:

–Mamá, ¿por qué llevas la comida?

Su madre le responde: –Una tradición importante en México es que las personas preparan comidas especiales durante el Día de

Muertos y las ponen en la tumba de una persona que murió.

Ahora Sofía comprende porque su mamá preparaba el mole negro ayer en la cocina. En el carro, Sofía mira por la ventana. No habla mucho con su madre. Sofía piensa mucho sobre la tumba de su abuelo. No ha visitado su tumba desde su funeral y está muy nerviosa.

Un poco más tarde, Sofía y su mamá llegan a la ciudad de Oaxaca. Un cementerio muy importante en la ciudad de Oaxaca se llama Xoxocotlán. La tumba de su abuelo está en este cementerio. Cuando Sofía y su madre llegan al cementerio, Sofía saca una foto del cementerio con su cámara. Ella está nerviosa y emocional.

EN EL CEMENTERIO

CAPÍTULO OCHO

—¡Mamá, mira a todas las personas en el cementerio! ¿Hay un funeral? —pregunta Sofía.

—No, Sofía. No hay un funeral. Son otras personas que están visitando a sus familiares muertos —responde su mamá.

En el cementerio, Sofía ve muchas tumbas y ve a muchas personas que visitan las tumbas de sus familiares muertos. Hay tumbas grandes y tumbas pequeñas. Las tumbas están decoradas con flores, calaveras y fotos. Hay flores por todos lados.

—Mamá —dice Sofía—, mira: ¡hay flores como las flores en nuestra casa!

La mamá de Sofía sonríe, pero no dice nada.

Sofía camina con su madre hacia la tumba de su abuelo.

–Mamá –dice Sofía–, ¿por qué las personas no están tristes?

La mamá responde, –las personas no están tristes porque visitar y decorar las tumbas ayuda a la familia a recordar al querido difunto.

–El cementerio es triste. Todos los cementerios son tristes –dice Sofía.

–Sofía, tú no comprendes: el Día de Muertos no es un momento para estar triste. Es un tiempo para recordar y celebrar los buenos recuerdos.

Sofía continúa mirando todo cuando, de repente ve a una persona que llora enfrente de una tumba. Sofía mira hacia la tumba y ve a una muchacha joven. La tumba no está decorada. La tumba no tiene flores. La tumba no está decorada con nada. Sofía mira a la muchacha. La muchacha tiene una foto vieja en sus manos. La foto es de la muchacha y una mujer.

Sofía quiere hablar con la muchacha, pero en ese momento escucha la voz de su mamá: –Sofía, ¿Qué haces?

Sofía salta un poco y le dice: –Mamá, me asustaste. Yo estoy viendo a una muchacha que llora –dice Sofía.

–¿Una muchacha que llora? –repite la madre de Sofía.

Sofía mira a la otra tumba. Busca a la muchacha, pero no la ve. Ahora no hay nadie en frente de la tumba. La madre de Sofía dice:

–¡Sofía! No hay nadie. Fue tu imaginación. Vamos a la tumba del abuelo.

Sofía continúa mirando a la otra tumba. Piensa en la muchacha que llora y va con su mamá.

LA TUMBA DEL ABUELO

CAPÍTULO NUEVE

Después de unos minutos, Sofía y su mamá llegan a la tumba del abuelo. Sofía mira la tumba en silencio. En esta parte del cementerio no hay muchas personas. Todo está en silencio. Sofía mira a su mamá. Su mamá también mira la tumba en silencio. Sofía quiere tocarla. Sofía toca la tumba con las manos. No puede creer que ella esté aquí, enfrente de la tumba de su abuelo.

Su mamá le dice: –Sofía puedes poner la foto de tu abuelo en la tumba.

Sofía no responde. Su madre repite: –Sofía, la foto –Sofía salta* un poco, está en un trance. Sofía saca la foto de su bolsa y la pone en la tumba.

–Mamá –le pregunta Sofía– ¿por qué es importante poner las cosas aquí también?

–Las flores cempasúchil y las cosas favoritas de los difuntos ayudan a los espíritus cuando es hora de volver a la tumba.

Sofía y su madre decoran la tumba en silencio y con mucho amor. Sofía mira a su mamá, quien pone el mole negro en la tumba. Sofía no tiene nada para poner en la tumba. Ella mira a su mamá y le dice:

–Mamá, no tengo nada para poner en la tumba. Quiero poner algo en la tumba.

En ese momento, Sofía comienza a llorar un poco. Su mamá abraza a Sofía.

–No te preocupes, Sofía. Mañana por la noche vas a tener la oportunidad de poner algo especial sobre la tumba del abuelo –dice su mamá.

Sofía mira a su mamá y dice: –Gracias por traerme contigo hoy.

–De nada, mija, ya podrás poner una cosa en la tumba mañana –responde su mamá.

Sofía camina por el cementerio a las ocho de la noche. Todavía hay muchas personas que preparan tumbas en el cementerio. –Mamá –dice Sofía–, hay tantas decoraciones bonitas.

La madre de Sofía responde: –Mañana es un día muy especial para los muertos.

Sofía busca a la muchacha misteriosa. Quiere saber por qué ella llora. Quiere saber porque está tan triste. Pero Sofía no ve a ninguna muchacha. Solo ve una tumba con una sola foto. Hay una sola decoración. Es una foto pequeña. En la foto hay un hombre con una muchacha. El hombre es serio, pero la muchacha está contenta.

Sofía ya no camina con su mamá. Sofía mira a la foto de la muchacha misteriosa y del hombre en la tumba.

Sofía escucha la voz de su madre. Su madre la llama: –Sofía, vamos, por favor. Es tarde. Vamos al carro ahora. Mañana es otro día.

Sofía camina hacia el carro y piensa en la muchacha misteriosa.

LA MUCHACHA MISTERIOSA

CAPÍTULO DIEZ

Es lunes, el 2 de noviembre. A las siete de la mañana, la mamá de Sofía le dice:

–Sofía son las siete de la mañana. Despiértate.

Sofía no se despierta inmediatamente. Cuando Sofía se despierta, ella mira a su mamá y le dice:

–Buenos días, mamá.

–Buenos días, mija –le responde su mamá.

Cinco minutos después se levanta. Busca su cámara porque quiere mirar las fotos de los últimos días. Ve su cámara en la mesa cerca de la cama. Recoge su cámara y mira sus fotos. En pocos minutos Sofía está mirando una foto. Está mirando una foto de la muchacha que vio ayer en el cementerio enfrente de la tumba. No sabe por qué hay una foto de la muchacha, pero hay una foto en su cámara.

La mamá llama a Sofía: –Sofía, tenemos que salir pronto. Necesito trabajar en Oaxaca esta mañana y hay un desfile en la calle hoy. Normalmente es difícil viajar en la ciudad pero hoy es muy difícil. Hay muchas personas que van a mirar el desfile.

Después de diez minutos, Sofía va en el carro con su mamá. Durante el viaje, Sofía piensa mucho sobre la muchacha misteriosa en el cementerio. Cuando llegan, su mamá le dice:

–Sofía, necesito trabajar en el restaurante por una hora. Necesito cocinar para las personas después del desfile. Si tú quieres, puedes caminar en la calle y mirar todas las decoraciones en las ventanas y en los edificios.

—¿En serio? —le responde Sofía con sorpresa.

—Sí, pero ten cuidado!* —le dice su mamá.

—Sí, mamá! —le dice Sofía.

Sofía está muy contenta. Normalmente no tiene la oportunidad de explorar la ciudad, especialmente sola. Camina en la calle mirando hacia las tiendas. Hay muchos colores y decoraciones en los edificios. Ve un anuncio en la ventana de una tienda que dice: «Las calaveras especiales aquí». En la ventana hay muchas calaveras y calacas diferentes. Entra en la tienda porque quiere mirarlas todas.

Hay calacas pequeñas y calacas grandes. Hay calacas para mujeres, hombres y niños. Es increíble. En ese momento, hay un ruido en la tienda. Está curiosa y camina hacia el ruido. Ella ve a una persona que llora. Para sorpresa, es la muchacha misteriosa que vio en el cementerio ayer.

—¿Por qué lloras? —pregunta Sofía.

La muchacha misteriosa mira a Sofía con lágrimas en sus ojos y dice:

—Necesito decorar la tumba de mi abuelo.

Sofía no comprende porque es un problema y responde: —Yo te vi* en el cementerio ayer. ¿Por qué no decoraste la tumba?, ¿tu familia no puede ayudarte a decorar la tumba?

—No. Mi familia está ocupada y no puede ayudarme a decorar la tumba de mi abuelo.

Sofía se siente muy triste por la muchacha. Sofía tiene a su mamá para ayudar a decorar la tumba de su abuelo. La pobre muchacha no tiene a nadie para ayudarle a decorar la tumba de su abuelo. Ahora Sofía comprende por qué la muchacha misteriosa está muy triste.

—Tengo una idea. Puedo ayudarte a decorar la tumba. ¿Puedes ir al cementerio después del desfile? —pregunta Sofía.

La muchacha mira a Sofía y le dice:

—Sí, puedo ir al cementerio esta noche después del desfile. ¿Por qué quieres ayudarme? No me conoces.

—Mi abuelo está muerto también y es la primera vez que puedo decorar su tumba. Comprendo la importancia —responde Sofía con una expresión seria.

La muchacha sonríe y dice: —Me llamo Camila. ¿Cómo te llamas?

—Me llamo Sofía. —Sofía mira la hora y dice: —Son las tres de la tarde. Necesito irme. Adiós.

La muchacha responde: —Adiós.

Sofía corre al restaurante donde su mamá trabaja. Sofía le explica todo a su mamá. Su mamá está un poco confundida, pero la escucha.

—No tengo ningún problema en ayudar a la muchacha —dice su mamá.

A su mamá le contenta que Sofía quiera ayudar a la muchacha durante el Día de Muertos. Ella abraza a Sofía. Ellas caminan en las calles. Sofía saca una foto de las calles y de todas las decoraciones. Ella está muy contenta de tener esta experiencia con su mamá. También está contenta de poder ayudar a la muchacha.

EL ÚLTIMO VIAJE AL CEMENTARIO

CAPÍTULO ONCE

A las siete de la noche Sofía y su mamá buscan una buena calle para mirar el desfile. Sofía está sorprendida porque hay muchas personas en la calle. Hay música y personas que bailan. Hay aroma de incienso. Hay personas maquilladas y vestidas con la ropa típica del Día de Muertos. Hay tapetes de muchos colores. Sofia saca muchas fotos de todo.

Una hora más tarde, toda la gente camina en una procesión al cementerio. Durante la procesión, Sofía escucha la música y piensa. Piensa en la muchacha que vio en la tienda. Sonríe porque puede ayudarla. Sonríe porque puede celebrar la vida de su abuelo.

Finalmente, todos entran al cementerio y todas las personas visitan las tumbas de sus difuntos queridos. Sofía camina y piensa en su abuelo. Sofía está sorprendida. Está muy sorprendida cuando ve a toda la gente en el cementerio. Sofía observa todo. Observa las tumbas cubiertas con las velas. Hay velas en todas partes. Las velas iluminan el cementerio. Sofía no lo puede creer. Es una experiencia como ninguna otra.

De repente, Sofía siente que le tocan el hombro. Sofía mira y ve a la muchacha misteriosa, Camila.

–Hola, Camila. Esta es mi mamá, que se llama Julia.

Camila mira a la mamá de Sofía.

–Hola. Mucho gusto –dice Camila.

–Hola, Camila –responde Julia.

—¿Quieres decorar la tumba de tu abuelo ahora? —le pregunta Sofía.

Camila mira a Sofía y dice: —Sofía, no tengo muchas decoraciones para decorar la tumba.

—No te preocupes, Camila. Yo tengo decoraciones para la tumba —responde Sofía.

Sofía camina a la tumba con su mamá y la muchacha. Enfrente de la tumba Sofía observa el nombre en la tumba. La tumba dice:

-Luis Ortega-

"El jugador de béisbol muy famoso"

Sofía está sorprendida. No puede hablar en ese momento. Sofía no puede creer lo que sus ojos ven. Mira a su mamá y le pregunta: –Mamá, ¿miraste el nombre en la tumba?

–Sí, es increíble –responde su mamá.

Las dos miran el nombre por un momento en silencio.

–Camila, ¿tu abuelo es Luis Ortega? –le pregunta Sofía.

–Sí, ¿tú conoces a mi abuelo? –le pregunta Camila.

–No, pero a mi abuelo le encantaba tu abuelo. Mi abuelo miró muchos partidos de béisbol y tu abuelo era su jugador favorito –le dice Sofía.

–Sí, mi abuelo era un jugador de béisbol fantástico. Es triste, porque no tengo ni una cosa de mi abuelo. Todos los miembros de mi familia tomaron todas las cosas de beisbol de él. Solo tengo esta foto–le explica Camila.

Sofía recuerda la pelota de béisbol. Busca la pelota de béisbol en la mochila que lleva. Saca la pelota de béisbol de la mochila. Mira la pelota y piensa en su abuelo. En su corazón, Sofía sabe exactamente lo que necesita hacer.

Sofía le da la pelota de béisbol a Camila. Camila la mira. La mira y sus ojos brillan con alegría.* Ella no lo puede creer. Está muy emocionada. Y en ese momento Sofía comprende la importancia del Día de Muertos. Nunca olvidará sus experiencias en la ciudad de Oaxaca. Ella sonríe y está muy contenta.

Ella mira a su mamá y su mamá le dice:

–Sí, mija, esto es lo que tu abuelo quería para ti. Tu abuelo siempre quiso felicidad para ti y ahora tú la encontraste. Yo sé que tu abuelo sonríe ahora.

Sofía mira a la muchacha mientras ella pone la pelota en la tumba.

GLOSARIO

A

abandonan - they abandon
abraza - she hugs
abre - she opens
abren - they open
abuela - grandmother
abuelo - grandfather
aburrida - bored
aburrido - bored
acciones - actions
acompañar - to accompany
acompañas - you accompany
acompañes - you accompany
adentro - inside
adiós - goodbye
afectada - affected
afectan - they affect
afectó - affected
agarra - she grabs
ahora - now
aire - air
al- to, to the
alegría - happiness
algo -something
amigas - friends
amigos - friends
amor - love
anaranjadas - orange
anaranjado - orange
anuncio - advertisement
aquí - here
aroma - scent
artículos - items
asustaste - you scared

atlética - athletic
atlético - athletic
atraparla - catch it
ay - oh
ayer - yesterday
ayuda - s/he helps
ayudan - they help
ayudar - to help
ayudarla - help her
ayudarme - to help me, helping me
ayudarte - help you
ayudas - you help

B

bailan - they dance
básquetbol - basketball
bebé - baby
béisbol - baseball
bien - well
bolsa - bag
bonitas - beautiful
brillan - they shine
brillante - bright
buena(s) - good
buenos - good
busca - s/he looks for
buscan - they look for
buscar - to look for

C

cada - each, every
caja - box
calaca(s) - skeleton(s)
calavera - skull
calle(s) - street(s)
cálmate - calm down
cama - bed
cámara - camera

camina - s/he walks
caminan - they walk
caminando - walking
caminar - to walk
carro - car
carta - letter
casa(s) - house(s)
casi - almost
celebra - s/he celebrates
celebración - celebration
celebran - they celebrate
celebrar - to celebrate
celular - cell phone
cementerio(s) - cemetery, cemeteries
cempasúchil(es) - Mexican marigold(s)
cerca – near
chupacabras - monstrous creatures
cinco - five
ciudad - city
clóset - closet
cocina - she cooks; kitchen
cocinar - to cook
cocinera - cook
color(es) - color(s)
come - s/he eats
comer - to eat
comida(s) - food
comienza - s/he starts
comió - ate
como - like, as
cómo - how
compra - s/he buys
comprar - to buy
comprende - s/he understands
comprenden - they understand
comprender - to understand

comprendes - you understand
comprendía - understood
comprendo - I understand
comunicar - to communicate
con - with
confundida - confused
confusa - confused
conmigo - with me
conoces - you know
considera - s/he considers
contenta - happy
contento - happy
contigo - with you
continúa - s/he continues
corazón - heart
corre - s/he runs
cosa(s) - thing(s)
creen - they believe
creer - to believe
cuál - which
cuándo - when
cuánto - how much
cubiertas - covered
(ten) cuidado - be careful
cumpleaños - birthday
curiosa - curious

D

da - s/he gives
dame - give me
dámela - give it to me
de - of
decirle - to say to her
decora - s/he decorates
decoración - decoration

decoraciones - decorations
decorada(s) - decorated
decoran - they decorate
decorar - to decorate
decoraste - you decorated
del - from the, of the
dentro - in
deportivo - sport
desde - since
desfile - parade
despiértate - wake up
(se) despierta - s/he wakes up
después - after
día - day
dice - s/he says
difícil - difficult
diferente(s) - different
difunto(s) - deceased
dio - I gave
discusión - discussion
disfrutar - to enjoy
domingo(s) - Sunday(s)
donde - where
dormitorio - bedroom
dos - two
durante - during

E

edificios - buildings
el - the
él – he
ella - she
ellas - they
emoción - emotion
emocionada - excited
emocional - emotional

emociones - emotions
empieza - s/he starts
empuja - s/he pushes
empujar - to push
en - in
(le) encantaba - s/he loved
encontraste - you found
energía - energy
enfrente de - in front of
entonces - so
entra - s/he enters
entran - they enter
era - was
es - is
esa - that
escrito - written
escucha - s/he listens
escuchar - to listen
escuela - school
ese - that
espíritu(s) - spirit(s)
especial(es) - special
especialmente - especially
esposo - husband
esqueletos - skeletons
esta - this
está - is
estaba - was
estaban - were
Estados Unidos - United States
estar - to be
este - this one
esto - this
estos - these
estoy - I am
estricto - strict
estuviera - was
exactamente - exactly

excepto - except
experiencia(s) - experience(s)
explica - s/he explains
explorar - to explore
expresión - expression
extraña - s/he misses
extrañaba - was missing
extraño - I miss

F

familia(s) - family, families
familiares - relatives
famoso - famous
fantástico - fantastic
favorita(s) - favorite
favorito(s) - favorite
felicidad - happiness
festivos - festive
fin - end
finalmente - finally
firmó - signed
flores - flowers
foto(s) - photo(s)
frustrada - frustrated
fue - It was
funeral - funeral
furiosa - furious

G

garaje - garage
gente - people
gracias - thanks
grande(s) - big
grita - s/he yells
guitarra - guitar
(le) gusta - likes
(le) gustaba - he used to like
(les) gustaban - they used to like

H

había escrito - had written
habla - s/he talks
hablar - to talk
hacer - to do, make
hacerlo - do it
haces - you do
hacia - towards
hambre - hunger
hay - there is, there are
hermana - sister
hermano(s) - brother(s)
hija - daughter
historias - stories
hola - hello
hombre(s) - man, men
hombro - shoulder
honrar - to honor
hora(s) - hour(s)
hoy - today
huevos - eggs

I

idea - idea
iluminan - they light up
imaginacíon - imagination
impaciencia - impatience
importancia - importance
importante(s) - important
incienso - incense
increíble - incredible
ingredientes - ingredients
inmediatamente - immediately
inteligente - smart
intensos - intense
(no me) interesa - (it doesn't) interest (me)

interrumpe - interrupts
invita - s/he invites
invitas - you invite
ir - to go
irme - to go
irritada - irritated
irritado - irritated
irritar - to irritate

J

joven - young
juega - s/he plays
jugaba - s/he used to play
jugador - player
jugar - to play
juntas – together

L

la - the; it, her
(al) lado (de) - next to
(por todos) lados - everywhere
lanza - s/he throws
lanzaba - s/he was throwing
lanzar - to throw
las - the; them
le - to him/her
lee - s/he reads
lentamente - slowly
les - to them
(se) levanta - s/he gets up
limpiando - cleaning
limpiar - to clean
llama - s/he calls
(se) llamaba - s/he was called
(te) llamas - you are called
(me) llamo - I am called
llega - s/he arrives

llegan - they arrive
lleva - s/he carries
llevar - to carry
llevas - you carry
llora - s/he is crying
llorar - to cry
lloras - you cry
lo - it, him
los - the
lunes - Monday

M

mañana - tomorrow
madre - mother
mamá - mom
mano(s) - hand(s)
maquilladas - made up
mayor - older
me - (to) me
memoria - memory
mercado - market
mesa - table
mexicana - Mexican
mi - my
miembros - members
mientras - while
mija - sweetheart, honey
minuto(s) - minute(s)
mira - s/he looks at
miran - they look at
mirando - looking at
mirar - to look at
mirarlas - to look at them
miraste - looked at
miró - watched
mis - my
misma - same
misteriosa - mysterious

mochila - backpack
mole - a sauce used in Mexican cuisine
momento - moment
mucha(s) - a lot
muchacha - girl
mucho(s) - a lot
muerto(s) - dead
mujer - woman
mujer(es) - woman, women
murió - died
música - music
muy - very

N

nada - nothing
nadie - nobody, no one
necesarias - necessary
necesarios - necessary
necesita - s/he needs
necesitamos - we need
necesito - I need
negro - black
nerviosa - nervous
niños - kids
ningún - any
ninguna - any, none
no - no, not
noche - night
nombre - name
normal - normal
normalmente - normally
nos - us
nosotras - we
noviembre - November
nuestra - our
nunca - never

O

o - or

Oaxaca - a city in central Mexico
objetos - objects
observa - s/he observes
obvio - obvious
ocasión - occasion
ocho - eight
octubre - October
ocupada - busy
ocupados - busy
ofrenda(s) - offering(s)
ojos - eyes
olvidar - to forget
oportunidad - opportunity
otra(s) - other(s), another
otro(s) - other(s), another

P

padre - father
palabras - words
pan - bread
papá - dad
papel - paper
para - to, for, in order to
parte - part
partido(s) - game(s)
pasa - is happening
pasado - past
pasar - spend
pelota - ball
pensaba - s/he was thinking
pequeña(s) - small
perderla - to lose it
perfectamente - perfectly
pero - but
pérdida - loss
persona - person
(papel) picado - decorative tissue paper for Day of Dead
piensa - s/he thinks

piensas - you think
pienso - I think
piso - floor
pobre - poor
poco(s) - little, few
poder - to be able
podrás - you will be able
pone - s/he puts
ponen - they put
poner - to put
popular - popular
por - for
porque - because
posesión - possession
posesiones - possessions
posible - possible
postean - they post
postear - to post
prefiere - s/he prefers
pregunta - s/he asks
(no te) preocupes - don't worry
preparábamos - we used to prepare
prepara - s/he prepares
preparaba - s/he was preparing
preparan - they prepare
preparando - preparing
preparar - to prepare
primer - first
primera - first
primero - first
problema - problem
procesión - procession
programa - program
pronto - soon
puedan - they can
puedas - you can

puede - s/he can
pueden - they can
puedes - you can
puedo - I can
puerta - door

Q

que - that, who
qué - what
quería - s/he wanted
querido(s) - cherished
quien - who
quiera - s/he wants
quiere - s/he wants
quieres - you want
quiero - I want
quiso - s/he wanted

R

rápidamente - quickly
rantoncito Pérez- tooth fairy
razón - reason
realmente - really
recoge - picks up
recordar - to remember
recuerda - s/he remembers
recuerdos - memories
regla(s) - rules
regresan - they return
regresar - to return
(de) repente - all of a sudden
repite - s/he repeats
representativos - representative
respeto - respect
respetuoso - respectful

responde - s/he responds
restaurante - restaurant
ropa - clothing
ruido - noise
rutina - routine

S

sábado - Saturday
sabía - s/he knew
sabe - s/he knows
saber - to know
sabes - you know
sabría - s/he would know
saca - s/he takes
sala - living room
sale - s/he leaves
salir - to leave
salta - s/he jumps
sarcasmo - sarcasm
secreto - secret
segura - safe
señora - Mrs.
separarme - separating me
ser - to be
seria - serious
serio(s) - serious
si - if
sí - yes
siempre - always
(se) sienta - s/he sits
(se) siente - s/he feels
siete - seven
sigues - you follow
silencio - silence
simpática - nice
simpático - nice
sin - without
situación - situation
sobre - about, over
sola(s) - alone
solamente - only
solo - alone

son - they are
sonríe - s/he smiles
sonrisa - smile
sorprendida - suprised
sorpresa - surprise
su - his, her
(por) supuesto - of course
sus - his, her

T

tableta - tablet
también - also
tampoco - neither
tan - so
tantas - so many
tapetes – colorful street art
tarde - late
te - you
teléfono - telephone
televisión - television
ten cuidado - be careful
tenemos - we have
tener - to have
tengo - I have
ti - you
tiempo - time
tienda(s) - store(s)
tiene - s/he has
tienen - they have
tienes - you have
típica - typical
toca - s/he touches
tocan - they touch
tocarla - to touch it
toda(s) - all, every, everything
todavía - still, yet
todo(s) - all, every, everything

tomaron - they took
trabaja - s/he works
trabajar - to work
tradición - tradition
tradicional - traditional
traerme - bringing me
trance - trance
tratamos - we treat
tratarnos - treat one another
tres - three
triste(s) - sad
tristemente - sadly
tristeza - sadness
tu - your
tú - you
tumba(s) - grave(s)
tus - your
tuyas - yours

U

un(a) - a, one
unas - some
única - only
unos - some
usar - to use

V

va - s/he goes
vamos - we go
van - they go
vas - you go
ve - s/he sees
vea - I see
velas - candles
ven - they see
vendedores - vendors
venden - they sell
ventana(s) - window(s)
ver - to see
verdad - truth
verdes - green
vestidas - dressed

vete - go!
vez - time
vi - I saw
viajar - to travel
viaje - trip
vida - life
vieja(s) - old
viendo - looking
viene - s/he comes
viernes - Friday
vio - s/he saw
visitan - they visit
visitando - visiting
visitar - to visit
visitarme - to visit me
vivir - to live
vivos - alive
volver - to return
voy - I go
voz - voice

Y

y - and
ya - soon, any more
yo - I

ABOUT THE AUTHOR

Theresa Marrama is a French teacher in Upstate New York. She has been teaching French to middle and high school students for 11 years. She has translated a variety of Spanish comprehensible readers into French and is also a published author. She enjoys teaching with Comprehensible Input and writing comprehensible stories for language learners.

Her books include:
Une Obsession dangereuse, which can be purchased at www.fluencymatters.com.

Available on Amazon:
L'île au trésor: Première partie: La malédiction de l'île Oak
Une disparition mystérieuse (French version)
Una desaparicíon misteriosa (Spanish Version)

Made in the USA
Middletown, DE
16 August 2019